Klavierstimme

Inhalt

ED 7772
ISMN M-001-08078-1
ISBN 3-7957-5068-7

Printed in Germany
BSS 46956

1 Kleines Lied

Brian Bonsor

2 Tanz, Kindlein, tanz

Gudrun Heyens

4 Kleiner Walzer

Brian Bonsor

aus: Enjoy the Recorder, Heft 1A, ED 11465

6 Au clair de la lune

Französisches Volkslied
Satz: Hans-Martin Linde

7 Russische Melodie

Gudrun Heyens
Satz: Hans-Martin Linde

8 Chinesische Melodie

Gudrun Heyens
Satz: Hans-Martin Linde

9 Die Studenten sind froh

aus England
Satz: Hans-Martin Linde

15 Schwedisches Kinderlied

Satz: Fritz Emonts

18 Gavotte

Michael Praetorius
1571/72–1621
Satz: Hans-Martin Linde

19 Oh, When the Saints

Spiritual
Satz: Brian Bonsor

22 Gesanglich

Brian Bonsor

23 Die Glocken von Big Ben

Brian Bonsor

24 Wie ein Choral

Gudrun Heyens

Spiele ernst und feierlich

26 Lustig

Gudrun Heyens

27 Red River Valley

aus Amerika
Satz: Matthew Moore

29 Nobody Knows

Negro Spiritual
Satz: Hans-Martin Linde

30 Mocking Bird

Amerikanisches Volkslied
Satz: Brian Bonsor

aus: Enjoy the Recorder, Band 1A, ED 11465

31 Gilotte

Michael Praetorius
Satz: Hans-Martin Linde

32 Nun schlaf mein liebes Kindelein

Melodie aus dem 16. Jahrhundert
Satz: Hans-Martin Linde

39 Felisa tiene una potra

Spanisches Volkslied
Satz: Hans-Martin Linde

Fließend

52 Ave Maria

Melodie aus dem 15. Jahrhundert
Satz: Martin Plüddemann
1854–1897

Gerhard Engel · Gudrun Heyens
Konrad Hünteler · Hans-Martin Linde

Spiel und Spaß mit der Blockflöte

Spielbuch 1

Sopranblockflöte mit verschiedenen Instrumenten
(S, A, T, B-Blockflöten, Klavier, Gitarre
und Schlaginstrumente ad lib.)

Mit Illustrationen
von Christa Estenfeld-Kropp

ED 7772

SCHOTT

Mainz · London · Madrid · New York · Paris · Tokyo · Toronto

€ 8,95

Inhalt

Die in Klammern gesetzten Seitenzahlen gelten für die Klavierstimme.

ED 7772
ISMN M-001-08078-1
ISBN 3-7957-5068-7

Printed in Germany
BSS 46956

Viel Freude beim Flöten und Ausmalen!
Musik!

1 Kleines Lied

Brian Bonsor

2 Tanz, Kindlein, tanz

Gudrun Heyens

3 Kleines Duett

Gudrun Heyens

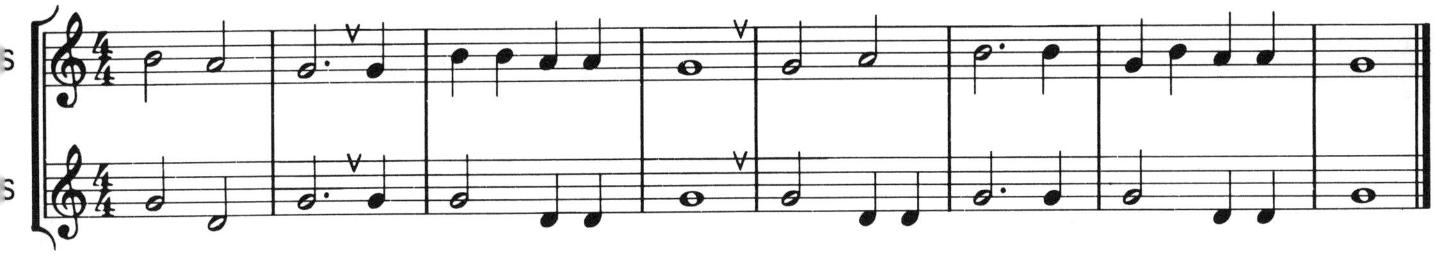

4 Kleiner Walzer

Brian Bonsor

5 Tanz

Fröhlich und schwungvoll

Gudrun Heyens

6 Au clair de la lune

Französisches Volkslied

*) Im Mittelteil übernimmt das Klavier die Melodie.
Zähle viermal bis 4 und finde so deinen Einsatz alleine.

7 Russische Melodie

Gudrun Heyens

8 Chinesische Melodie

Gudrun Heyens

9 Die Studenten sind froh

aus England

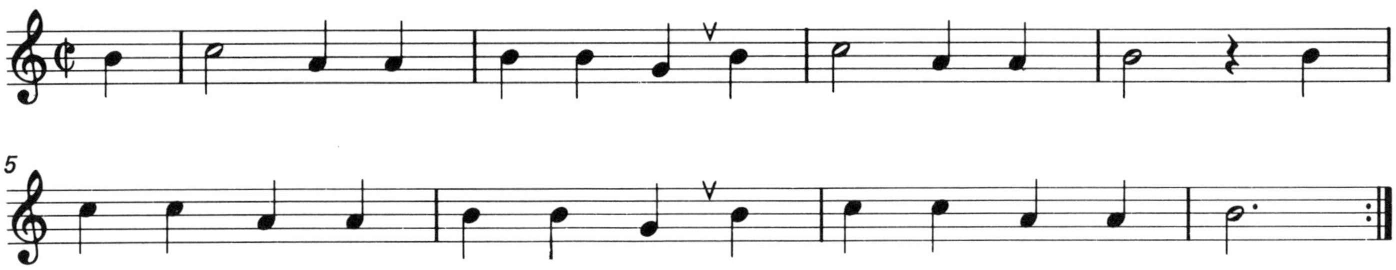

0 Es gingen drei Baur'n

Forster, 1540
Satz: Willi Drahts

11 Unsre Katz hat Junge g'habt

Kinderlied
Satz: Gudrun Heyens

2 Hänsel und Gretel

Kinderlied
Satz: Hans-Martin Linde

13 Zieh, Schimmel, zieh

Kinderlied
Satz: Willi Drahts

4 Kling klang, Schmied, schlag zu

Kinderlied
Satz: Willi Draths

aus: Willi Draths, Duett ABC für Sopranblockflöten
(Gitarre und Schlagwerk ad lib.) ED Schott 6396

15 Schwedisches Kinderlied

16 Weckruf mit 5 Tönen

Franz J. Giesbert

aus: F. J. Giesbert, Schule des Zusammenspiels für 3 Sopranblockflöten, Schott ED 5585

7 Canario

Joachim von dem Hofe
1612

nach der Wiederholung noch einmal
von Anfang bis Ende

8 Gavotte

Michael Praetorius
1571/72–1621

9 Oh, When the Saints

Spiritual

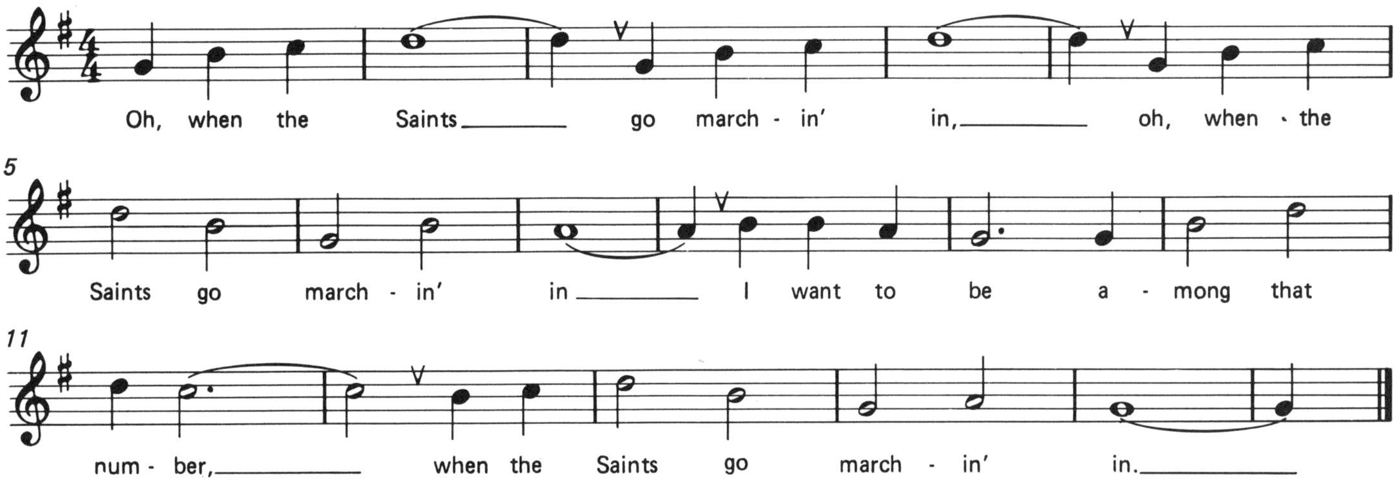

20 Musik mit Trommel

Gerhard Engel

21 Anne-Marieke

Volkslied
Satz: Gudrun Heyens

22 Gesanglich

Brian Bonsor

aus: Enjoy the Recorder, Heft 1A, ED 11465

23 Die Glocken von Big Ben

Brian Bonsor

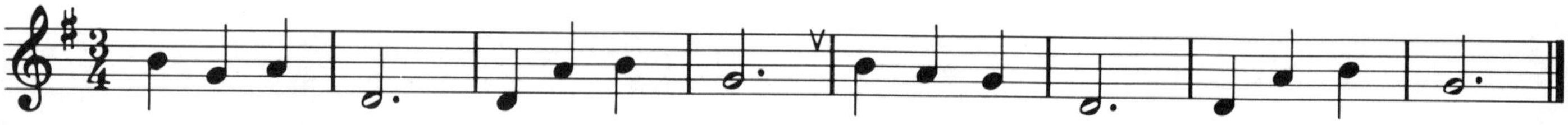

24 Wie ein Choral

Gudrun Heyens

Spiele ernst und feierlich

25 Linienspiel im Vierertakt

Hans-Martin Linde

6 Lustig

Gudrun Heyens

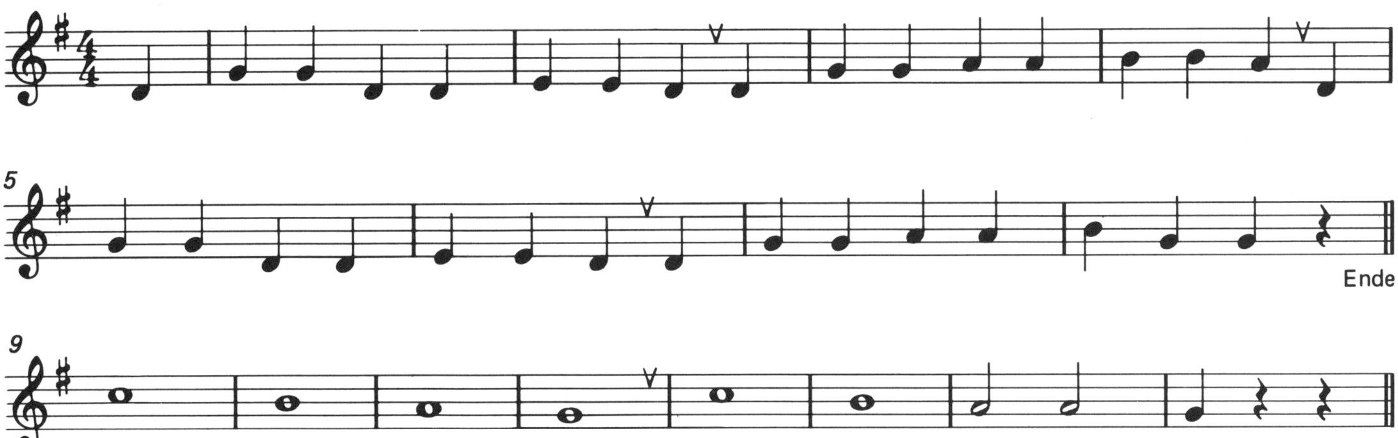

7 Red River Valley

aus Amerika

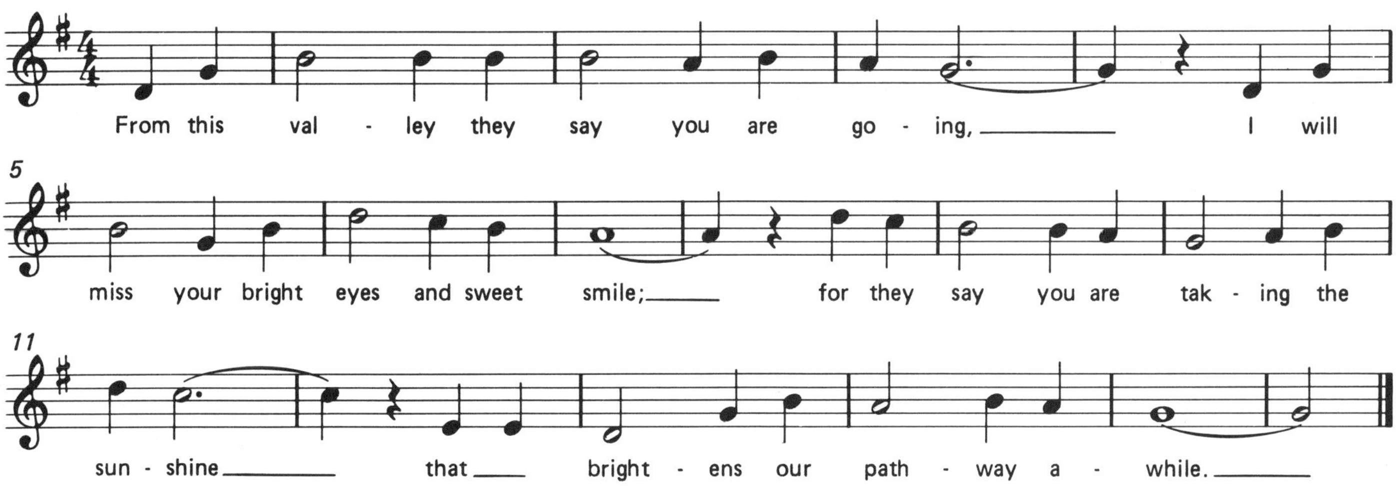

28 Kuckuck

Franz J. Giesbert

29 Nobody Knows

Negro Spiritual

30 Mocking Bird

Amerikanisches Volkslied

31 Gilotte

Michael Praetorius

32 Nun schlaf mein liebes Kindelein

Melodie aus dem 16. Jahrhundert

3 Schlaf sanft und wohl

aus Hessen
Satz: Hans-Martin Linde

34 Tanzmusik im Dreiertakt

Hans-Martin Linde

35 Tanz

Hans-Martin Linde

36 Vorspiel und Kanon

Hans-Martin Linde

37 Kanon

Hans-Martin Linde

38 Bitoljka

Serbischer Volkstanz
Satz: Hans-Martin Linde

9 Felisa tiene una potra

Spanisches Volkslied

40 Dreiklänge

Gerhard Engel

1 Tänzchen

Gerhard Engel

dazu folgender ostinater Rhythmus: 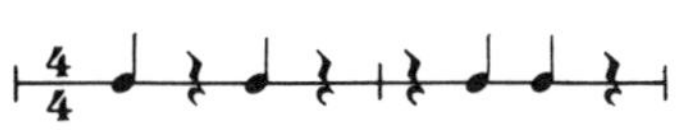

Martinslieder

42 Sankt Martin

Satz: Willi Draths

aus: St. Martins-Lieder für 1–2 Sopranblockflöten
ED 5944

3 Durch die Straßen

Richard Rudolf Klein
Satz: Gudrun Heyens

Text: Lieselotte Holzmeister

4 Laterne, Sonne, Mond und Sterne

Satz: Rainer Mohrs

Viele weitere schöne Martinslieder findet ihr in dem Heft „St. Martins-Lieder" für 1–2 Sopranblockflöten, hrg. von Hans und Marianne Magolt, Schott ED 5944

45 Ich geh' mit meiner Laterne

Satz: Willi Draths

aus: St. Martins-Lieder für 1–2 Sopranblockflöten ED 5944

Weihnachtslieder

46 Stille, stille, kein Geräusch gemacht

Satz: Rainer Mohrs

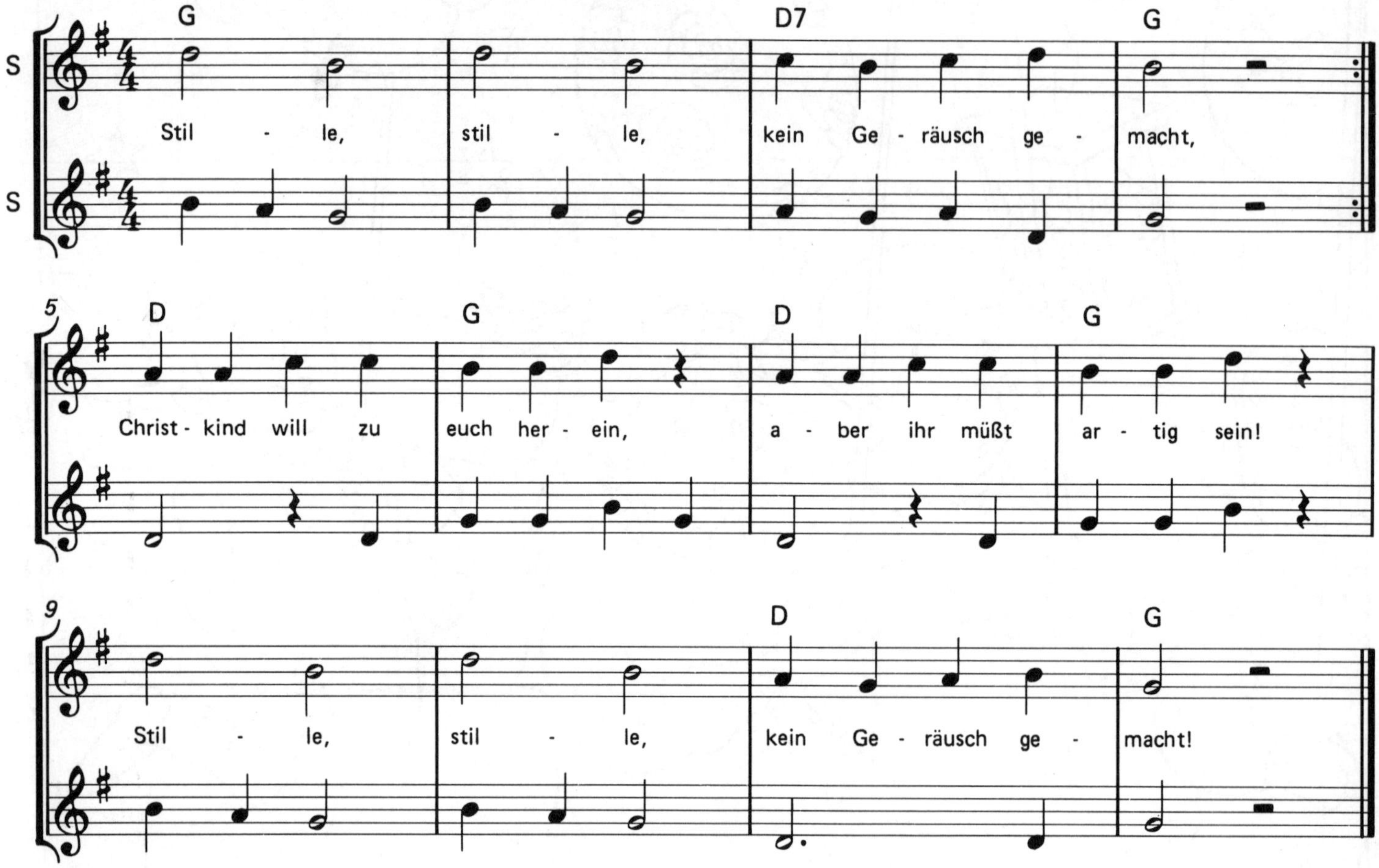

Laßt uns froh und munter sein

aus dem Hunsrück
Satz: Hans-Martin Linde

48 Lieb Nachtigall, wach auf!

aus dem Bamberger Gesangbuch 1670
Satz: Hans-Martin Linde

Was soll das bedeuten

Satz: Rainer Mohrs

50 Ihr Kinderlein kommet

Satz: Hans-Martin Linde

Vom Himmel hoch, da komm ich her

Satz: Hans-Martin Linde

Ave Maria

Melodie aus dem 15. Jahrhundert

53 O selige Nacht

Münstersches Gesangbuch 1677
Satz: Hans-Martin Linde